LISICA, NIEDŹWIEDŹ
I PLACEK
BAJKA DLA MALUSZKA
WYDAWNICTWO
ELŻBIETA
JARMOŁKIEWICZ

Pewnego razu leśną drogą szedł grzybiarz. Gdy tak wędrował, wypadł mu z koszyka placek, który znaleźli lisica i niedźwiedź.

Zwierzęta zabrały ciasto do chatki i podzieliły się nim sprawiedliwie: pół dla niedźwiedzia i pół dla lisicy.

Lisica zjadła swoją porcję od razu, a niedźwiedź odgryzł tylko kawałeczek, a resztę postanowił zostawić sobie na później i położył na stole.

Ułożyły się zwierzęta do snu. Niedźwiedź wgramolił się na piec, a sprytna lisica legła na ławce obok stołu, by być bliżej placka. Kiedy tylko niedźwiedź zasnął, lisica cap za ciasto – i zjadła.

Nocą niedźwiedź obudził się wygłodniały i postanowił dokończyć placek. Zlazł z pieca, patrzy, a na stole pusto. Domyślił się, że lisica zjadła jego ciasto i jak nie krzyknie:

– Teraz przyjdzie mi zjeść ciebie, lisico!

– Masz rację, zawiniłam przed tobą – zaskomliła lisica. – Zjedz mnie, tylko najpierw ugotuj, gotowana będę smaczniejsza.

– Ogień wygasł, a w piecu nie ma czym rozpalić – rzecze na to niedźwiedź.

– Spójrz tylko, oto ogień – pokazuje lisica na księżyc.

– Wysoko ten ogień, nie dosięgnę.

– Może i wysoko, ale z wierzchołka choinki da się dosięgnąć. Wejdź na drzewo – namawia lisica.

Wziął niedźwiedź suche łuczywo i wdrapał się na potężny świerk. Wyciągnął pochodnię do księżyca i nic – nijak nie może dotknąć.

– Postaraj się trochę wyżej! – krzyczy lisica z dołu. – Brakuje ledwie odrobinę, podskocz i sięgniesz.

Niedźwiedź posłuchał lisicy, podskoczył i jak nie huknie o ziemię, w locie fikając koziołki! Spadając z samego wierzchołka, cudem śmierci uniknął, a po przebiegłej lisicy nie pozostało ani śladu.

LISICA, NIEDŹWIEDŹ I PLACEK

W SERII:

CHYTRA MAŁPKA
JAK WRÓBEL DZIELIŁ ZIARNO
KSIĘŻYCOWY SER
LISICA I DZBANEK
LISICA I KOZIOŁ
LISICA, NIEDŹWIEDŹ I PLACEK
MAŁY ZUCH
MĄDRY DRWAL
MYSI BOHATER
NAJSILNIEJSZY
NIEMĄDRA WRONA
PRACOWITA KURKA
PRZEBIEGŁA LISICA
TCHÓRZLIWA MYSZKA
WILCZY CHLEB
ŻABA I MRÓWKA
CUDOWNA LAMPA ALADYNA
CZERWONY KAPTUREK
JAŚ FASOLA
KOT W BUTACH
KSIĄŻĘ ŻABA
KSIĘŻNICZKA NA ZIARNKU GROCHU
O BOHATERSKIM KRAWCZYKU
O RYBAKU I ZŁOTEJ RYBCE
PANI ZIMA
PIĘKNA I BESTIA
SŁOWIK
STOLICZKU, NAKRYJ SIĘ!
ŚNIEŻKA
ŚWINIOPAS
TRZY ŚWINKI
ZŁOTOWŁOSA I TRZY MISIE

ISBN 978-83-7711-076-8

Ilustracje: Irina i Władimir Pustowałowy

Wydawnictwo Elżbieta Jarmołkiewicz Sp. z o.o.
65-722 Zielona Góra, ul. Dekoracyjna 8
tel. 68 326 84 84